ALFAGUARA

ALFAGUARA INFANTIL

ALFAGUARA

KIPP Y LA OFRENDA DEL DÍA DE MUERTOS
D.R. ©Del texto: Leticia Herrera Álvarez, 2001.
D.R. © De las ilustraciones: Enrique Martínez y Sara Palacios, 2001.

D.R. © De esta edición:
Santillana Ediciones Generales, S.A. de C.V., 2004
Av. Universidad 767, Col. Del Valle
México, 03100, D.F. Teléfono 5420 7530
www.alfaguarainfantil.com.mx

Éstas son las sedes del Grupo Santillana:

ARGENTINA, BOLIVIA, CHILE, COLOMBIA, COSTA RICA, ECUADOR, EL
SALVADOR, ESPAÑA, ESTADOS UNIDOS, GUATEMALA, MÉXICO, PANAMÁ,
PERÚ, PUERTO RICO, REPÚBLICA DOMINICANA, URUGUAY Y VENEZUELA.

Primera edición en Alfaguara: abril de 2001
Primera edición en Editorial Santillana, S.A. de C.V.: mayo de 2003
Primera edición en Santillana Ediciones Generales, S.A. de C.V.: octubre
de 2004
Primera reimpresión: junio 2006

ISBN: 968-19-0990-9

D.R. © Cubierta: Enrique Martínez y Sara Palacios, 2001.

Impreso en México

Kipp y la ofrenda de Dia de muertos

Leticia Herrera Álvarez

Ilustraciones de Enrique Martínez y Sara Palacios

ALFAGUARA

I

Aquella tarde se colocó junto a la pared de la estancia la mesa que serviría de base para poner la ofrenda del Día de Muertos.

Muy temprano por la mañana, doña Chepa, la mamá de David, había ido al mercado en busca de chiles secos para preparar el mole. Había comprado un guajolote grande; que alcanzara para toda la familia que habría de reunirse aquella noche.

Compró también cacahuate y cacao para preparar atole. Maíz para tamales y hojas de plátano y maíz para envolverlos.

Compró mezcal y cigarros, también frutas, velas, flores y papel picado para adornar la ofrenda.

Era 2 de noviembre y se esperaba la visita de los muertos; había que darles el merecido recibimiento, porque a las almas de los muertos, según las viejas costumbres, "se las venera y se las ofrenda, ya que son intercesoras entre los seres vivos y los dioses, y mediadoras para la solución de los problemas cotidianos de la gente", decía doña Chepa.

Con los preparativos de la fiesta, el mercado estaba más animado que nunca. Ahí doña Chepa había encontrado a muchos de sus vecinos y con ellos intercambiaba entusiastas comentarios sobre la manera en que cada uno pondría la ofrenda a los muertos de su familia.

—Yo voy a poner un guaje con agua, para simbolizar el río Chicnahuapan —aseguró don Melquiades—, en mi pueblo se dice que ese río lo debían cruzar, como su primera prueba para llegar al Mictlán, los que hubieran muerto de cualquier enfermedad común, como fue el caso de mi ahijado Rigoberto, que en paz descanse.

—¿Y dónde queda el Mictlán, don Melquiades, usted sabe?

—Pues la entrada, según dicen, está en la ciudad de Mitla, en Oaxaca, y se le llama también Lugar de Muertos, Cielo Norte o Mundo Subterráneo.

—Ay —replicó doña Graciela—, pues mi abuela decía que al Tlalocan, o paraíso de Tláloc, dios de la lluvia, iban los elegidos de los dioses del agua, aquellos que mueren al ser tocados por un rayo, ahogados o de enfermedades como el reumatismo.

—¿Y de qué murió su abuela, doña Graciela? —preguntó Jacinto, el joven talabartero.

—De reumatismo. ¿No le estoy diciendo? Si ella tenía la ilusión de irse para allá.

—Ah, pues su abuela ha de estar muy contenta ahorita, porque según el mito, en el Tlalocan la gente se divierte jugando, cantando y bailando.

—Sería bonito eso de irse a bailar para siempre, ¿no creen? —sonrió Jacinto mientras metía en una bolsa un buen trozo de calabaza en tacha, para su ofrenda.

—No me extrañaría que tú hasta después de muerto siguieras bailando —se burló don Melquiades.

—Pues yo sé que al tercer cielo se le decía también Tonatiuhchán, o La Casa del Sol, y que allí iban las mujeres fallecidas en el parto y los guerreros caídos en combate —agregó doña Rosalba.

—A ellos, después de cuatro años, se les permitía reencarnar en la Tierra. Las mujeres lo hacían en mariposas y los hombres en colibríes.

—Bueno, pero lo más importante —concluyó doña Chepa muy convencida— es que las almas son inmortales y por eso cada año se les permite volver a la Tierra a visitar a sus parientes.

—Así es —aseguró don Melquiades—, porque los muertos, desde los trece cielos o los nueve inframundos donde viven, y como seres sobrenaturales que son, siguen interesados en nosotros.

—Aunque la gente haya sido mala, las almas continúan su perfeccionamiento, por eso vienen a vernos, para saber cómo estamos —aseguró doña Chepa.

—Eso sí que es cierto —opinaron todos—, sí, es cierto.

Así que doña Chepa había ido al cementerio aquella mañana, acompañada del abuelo, quien, con palabras dulces y sabias, había pedido una disculpa a los muertos por interrumpir su tranquilidad y los había invitado a disfrutar del aroma de la ofrenda, mostrándoles el camino hacia la casa al quemar copal en un incensario, previendo con ello que quizás hubieran olvidado cómo llegar, después de tanto tiempo de no vivir en la Tierra.

Doña Chepa había llenado una canasta con pétalos de flores, igual que hacía cuando vivía en Pátzcuaro, y con ella había formado un camino desde la tumba hasta la

puerta de la casa, y hasta el lugar donde estaba la ofrenda, para que las almas la encontraran fácilmente.

Con sólo el aroma, los muertos se sentirían satisfechos y podrían partir después, para llevar a los seres sobrenaturales que ayudan a la humanidad las peticiones que su familia les hubiera manifestado aquella noche.

El pueblo entero se sentía ilusionado. Cada uno dejaba volar su propia imaginación mientras en silencio seguían su camino por los pasillos del mercado, para terminar las compras para la ofrenda. En secreto intentaban recordar alguna historia asombrosa que demostrara a todos que la visita de los muertos realmente ocurría el 2 de noviembre. La contarían por la noche, cuando estuvieran reunidos.

II

Durante todo el día, David había observado cuidadosamente los movimientos de mamá y por la noche se había decidido a poner también una ofrenda a su gatita enterrada en el jardín, así que llamó a Miguel, su nuevo amigo, y quedaron de acuerdo en encontrarse a las ocho en punto para dirigirse al colorín que daba sombra a la casa y cubría la hierba en primavera con las lenguas de fuego que eran sus flores maduras.

Miguel había crecido en la ciudad y tenía miedo a los muertos, cosa que a David le daba mucha risa. Ésa era la oportunidad para curarlo, pensó.

Cuando llegó la hora de la cita, en la soledad del jardín se escuchaba tan sólo el vuelo de algún insecto y los pasos inseguros de los niños, quienes buscaban, casi en plena oscuridad, el árbol de colorín.

El penetrante aroma de las flores del altar de muertos parecía envolverlo todo esa noche, como una fuerza magnética.

A cada paso, la emoción crecía en el corazón de los niños. Sus ojos brillaban intensamente al intentar mirarse en medio de la oscuridad.

Cuando al fin se encontraron junto al árbol, David preguntó impaciente:

—¿Trajiste el pescado?

—Aquí está —respondió Miguel al tiempo que le extendía un paquete de papel estaño.

—Yo traje leche, una charola con pellejitos y una calavera de azúcar con su nombre: Vicenta.

—¿En dónde los ponemos?

—Aquí, donde ella dormía la siesta todas las tardes, y luego nos subimos al colorín para poder verla cuando aparezca.

David dejó caer sobre la charola la leche que había llevado en un frasco de cristal y los pellejitos quedaron flotando. Uno de ellos se desplazó hasta tocar el pecho del pescado, que mantenía la boca abierta como un pequeño túnel de labios rígidos. Con los ojos muy abiertos, el pícaro parecía vigilar que los niños no advirtieran su secreta intención de beberse la leche.

—¡Ya está! —dijo al fin David—. ¡Ahora súbete rápido, rápido!

—¡Ay! —exclamó Miguel—. ¡Por poco piso la charola!

Y rodeó el colorín para subir por el lado contrario.

Las ramas del árbol se mecían con el peso de los niños mientras iban subiendo a lo más alto.

—¡En la rama que sigue! ¡Está más gruesa! —pidió David, jadeando por el esfuerzo.

—¿En ésta? —tanteó su amigo.

—Sí —aceptó satisfecho, y se apresuró a llegar junto a él para quedar los dos con las piernas colgando a ambos lados de la rama—. ¡Listo! —dijo al fin.

A partir de ese instante, sólo quedaba esperar.

III

En medio de las sombras, los ojos de los niños atisbaban en espera del menor movimiento que pudiera revelarles la presencia del espíritu de Vicenta. En la charola, varias ramas abajo, el pescado había terminado de beberse la leche y se veía satisfecho.

Los brazos cortos de Miguel y David se pegaban a la rama y la rugosa corteza del colorín recibía tibiamente el abrazo.

De vez en cuando, ante la incertidumbre de lo que podría ocurrir, un estremecimiento sacudía a Miguel y un calambre helado parecía ascender por su espalda, pero aquel titubeo no duraba más de un instante, y poco después Miguel había recuperado de nuevo el aplomo y se afirmaba en seguir adelante.

—¡Ah, yo traje una lámpara! —dijo David con súbito entusiasmo, mientras se apresuraba a sacar el utensilio que pendía de la pretina de su pantalón—. Desde aquí podremos mirar a la Vicenta sin que ella nos descubra.

—Mejor atora la lámpara en esas ramas, para que puedas detenerte con las dos manos —sugirió Miguel.

David se deslizó trabajosamente hasta alcanzar el punto en que se unían dos ramas y sujetó entre ellas la lámpara. El foco apuntó hacia el cielo y en el jardín cayó apenas su luz, como un leve rocío.

—¡Listo! —dijo Miguel, aliviado al verlo de nuevo junto a él—. ¿Tú crees que de veras aparecerá?

—Tiene que venir. Hoy es 2 de noviembre, Día de Muertos, y ya le pusimos su ofrenda con pellejitos y pescado. Eso era lo que más le gustaba. Tendrá que venir, el aroma será irresistible para ella.

—¿Y si mejor venimos nosotros mañana? —sugirió Miguel intentando disimular su miedo.

—¿Y mañana ya para qué?

—Pues para ver si Vicenta vino a olfatear la ofrenda. Si mañana ya no tiene aroma el pescado, querrá decir que sí vino.

—¿Y qué tal si viene un gato vivo y se come la ofrenda? Si estamos aquí podremos espantarlo.

—¿Y si viene un gato muerto y él nos espanta a nosotros? No. Mejor ya no quiero poner ninguna ofrenda. ¡Mejor ya me quiero ir de aquí!

Miguel tomó aliento decidido a abandonar la empresa y bajar del árbol, pero la sentencia de David lo alcanzó mucho antes de que pudiera intentarlo:

—Si te acuestas ahorita no te vas a poder dormir; vas a tener pesadillas —aseguró—. Aunque tú no la esperes en el jardín, Vicenta aparecerá en tus sueños.

—¡Ay, no me digas eso! Oye... —preguntó temeroso—, ¿de qué se murió?

—Le pasó lo mismo que al famoso perro de don Margarito: se cayó en un barril de tepache.

—¡Pobre!

—Pues no tanto, mi abuelo dice que se fue al Tlalo-can, donde se la pasan cantando y bailando. ¡Vamos, Miguel —se impacientó David—, no le tengas miedo a los muertos! Ellos están junto a nosotros, pero en otra dimensión. No pueden hacerte nada.

—¡Hummm! —resopló Miguel inconforme.

David no estaba dispuesto a perderse la visita de Vicenta. Había esperado todo un año para poner aquella ofrenda y buscaría todos los argumentos que hicieran falta para convencer al miedoso. No obstante, antes que pudiera expresar más, la propia voz de Miguel empezó a decir temblorosa:

—¡David! Creo que... ¡Ahí está!

—¿Quién?

—¡Vicenta!

El canto de los grillos cesó y el suave vaivén de las hojas se detuvo por un instante. El viento sopló entonces con fuerza súbita y la luz de la lámpara sorda pareció congelarse cuando en la oscuridad se dejó oír, como eterno lamento de bisagra, la voz de aquel espíritu que dejaba escapar el más tenebroso:

—¡Miauuuuu!

IV

—¿En dónde está? —preguntó David nervioso.

Con mano de trapo, Miguel señaló la penumbra.

—¡Ahí, junto al arbusto!

David observó fijamente la sombra: era más alta que un gato y más flaca que un árbol; se movía agitando los setos a su paso.

Aquella sombra no podía ser Vicenta.

Con gran asombro, los niños la vieron desplazarse hasta llegar al pie del colorín y levantar después la cabeza para mirar hacia la copa del árbol.

Una voz cavernosa intentó llegar hasta ellos. Parecía que se esforzara mucho y sus balbuceos alcanzaran apenas a tocarles las puntas de los pies.

—¿Dónde? ¿Dónde está? —preguntó al fin la voz.

Los niños dejaron de respirar por un momento y el corazón les latió al galope.

—No lo veo por ninguna parte. ¡Dime dónde está! —ordenó la voz con apremio.

Miguel se pegó a la rama como si se hubiera convertido en una plaga. Del susto tan grande parecía paralizado y consiguió decir apenas en un susurro:

—Ése no puede ser el espíritu de Vicenta. ¿Quién es? ¿Tú lo invitaste?

—¡No! —respondió David—. No sé cómo entró en la casa.

—Pregúntale qué quiere —pidió Miguel.

David apretó la rama cada vez con más fuerza hasta atreverse a decir:

—¿Quién eres tú? ¿Cómo te llamas?

Miguel hubiera deseado escuchar como respuesta el lastimero maullido de Vicenta, pero en cambio, para su sorpresa, la sombra dijo:

—Soy Kipp, de la tribu Wiradjuri.

—¿De la tribu...? —vaciló David.

—Wiradjuri, de Australia —repitió la voz.

—¿Dijo de Australia? —titubeó Miguel.

—Dijiste que había un espíritu. Dime dónde está; no lo encuentro.

Los dos niños se miraron con las bocas abiertas, sin atreverse a decir palabra.

—¿Dónde está el espíritu? —urgió la voz nuevamente.

Perdido entre las ramas de un arbusto pudo escucharse entonces un quejumbroso maullido.

Miguel señaló con mano temblorosa el lugar y al hacerlo perdió fuerza para sujetarse de la rama. Un largo grito se escuchó en el jardín. Vino después un golpe sordo que dejó a su paso agitación de arbustos y luego un largo quejido: Miguel había caído del árbol y su cuerpo yacía lastimado junto a la raíz del colorín.

V

La confusión hizo a David seguir en el camino a su amigo y un minuto después había caído también para quedar tendido junto a él, con las rodillas raspadas y llenas de tierra.

—¡Ah! ¡Qué bueno que bajaste! —se alegró Kipp—, ahora podrás ayudarme a atraparlo.

—¿Atraparlo? —se alarmó David—. ¡No! ¿Por qué quieres atraparlo? ¡Miguel! —llamó a su amigo con intención de reanimarlo.

—¡Así que sabes su nombre! —se sorprendió Kipp—, pues entonces ayúdame a capturarlo.

—¿A capturarlo? ¿Pues qué te ha hecho?

Los niños se miraron desconcertados. El miedo había debilitado a Miguel y tuvo que apretarse al cuello de su amigo para poder incorporarse, con intención de salir en estampida. No obstante, al ver a Kipp observar la escena en completa serenidad, muy pronto él también recuperó la calma. Y como estaba ansioso por esclarecer la situación, empezó a mover las ramas del arbusto, tal como veía hacer al muchacho australiano. Poco después, los niños se habían desanimado ante esa enigmática búsqueda sin sentido.

—¿Qué estamos buscando, David?

—No sé, pero es seguro que, sea lo que sea, no se encuentra aquí —aseguró David con fastidio.

—¡Oh, no! —se desesperó Kipp—. ¡No me digas eso! Llevo tres días tratando de atraparlo. No he podido capturar ni uno en toda la semana. Ya me froté los ojos con hierbas mágicas y ni así puedo verlos. Fue por eso que me decidí a venir a México. Me aseguraron que sus ofrendas del Día de Muertos en verdad los atraen con el aroma irresistible de sus guisos.

Un rumor de campanas se escuchó en el fondo del jardín.

—¡Ay, no! ¡Ya empezó de nuevo! —se enfadó Kipp—. Estoy cansado de oír a mi maestro tocar sus campanitas. Lleva tres días sin parar. No me dejará en paz, seguirá insistiendo hasta que yo pueda verlos.

Atribulado, Kipp se llevó las manos a la cabeza y agregó con pesadumbre:

—Tengo que atrapar un espíritu cuanto antes o mi maestro me volverá loco.

—¿Capturar un espíritu? —exclamó David llenó de asombro.

—¡Ah, ya comprendo! Menos mal —se apresuró a decir Miguel—, quiere atrapar a un espíritu, no a mí. ¿Atrapar un espíritu? —volvió a alarmarse.

—¡Eso! ¡Eso mismo! Atrapar un espíritu. Si logro encontrar el de una serpiente, ella será mi guía para ir al inframundo, ese lugar al que ustedes llaman el Mictlán.

—Cuando estemos en el centro de la Tierra —continuó Kipp— me pondrán una prueba muy difícil. Si consigo salvarla, la serpiente mudará de piel y me la entregará como trofeo.

—Ya sé para qué la quieres —dijo David—; piensas mandarte fabricar unos zapatos. ¡Hummm! Veo que te hacen falta.

—¿Zapatos? ¡De ninguna manera! Debo colgar la piel de mi cinturón y llevarla a mi maestro como prueba de que visité el inframundo.

—¡Vaya! ¡Qué tareas les dejan en Australia!

—¡Y nos quejamos de matemáticas! —reconsideró Miguel.

—¿Estás estudiando para cazador de espíritus?

—¡Oh, no! Me preparo para ser el curandero de mi tribu.

—¿Y para qué quieres a los espíritus?

—Ellos van a ser mis ayudantes. Pueden viajar muy lejos sin cansarse y traer de regreso las almas extraviadas de los enfermos.

—¡Ja! ¡Qué bromista! —festejó David—. Los médicos estudian en la universidad. Es allí donde enseñan los maestros.

—¿Qué es la universidad? —se inquietó Kipp—, ¿es allí donde puedo encontrar a los espíritus?

—Bueno... —se burló David— no precisamente.

—¿Ahí enseñan a curar el alma?

—Pues... —reflexionó David— me parece que sólo se aprende cómo curar el cuerpo.

—Eso no me satisface —retrucó Kipp convencido—. Muchas veces los enfermos sanan pero siguen estando tristes. Se debe curar también el alma —aseguró—; yo quiero que ésa sea mi especialidad: curar el alma.

—¿Se podría estar enfermo pero feliz? —reflexionó Miguel para sí mismo—. ¡No había pensado en eso!

—Para curar la tristeza los mexicanos antiguos conocían un remedio magnífico: el abrazo. Ésa es la forma de curar que me interesa aprender. Quiero hacerme especialista en todo tipo de abrazos.

—¿En serio? No lo sabía. Curar con un abrazo... no se me hubiera ocurrido.

—Pues yo he venido desde Australia para aprender eso y muchas cosas más, así que tienes que ayudarme. Necesito encontrar un espíritu. Quiero llevar en mi cinturón tantas pieles de serpiente como portan los grandes maestros. En Australia hay quien llega a tener hasta 560: una por cada viaje al inframundo.

—¿De qué habla?

—¿No tienes frío, Kipp? La noche está fresca. Si quieres, podría prestarte algo para que te vistas.

—No, gracias, llevo puesto mi traje de ceremonia.

—¿Un cinturón nada más?

—¿Y cómo visten aquí los médicos?

—Se cubren de pies a cabeza para no infectarse.

En ese momento las campanitas volvieron a escucharse.

—¡Ay, no! —se desesperó Kipp—, ya empezó de nuevo con sus campanitas. Tengo que darme prisa en encontrar un espíritu o tendré que olvidarme de llegar a ser curandero.

—¿Y no conoces otra forma de llamar a los espíritus? Nosotros ya pusimos la ofrenda, sólo nos queda esperar.

—¿Nosotros? ¿Tú y quién más?

—Mi amigo Miguel y yo.

—¿Quién es Miguel?

—¡Soy yo! —se apresuró a decir orgulloso.

—¡Ah! Se me ocurre una cosa, David —continuó Kipp, ignorándolo—. Podría intentar un método piel roja. ¿Me ayudarías?

—¡Claro! Si nos dices cómo.

—¿Nos dices? ¿A ti y a quién más?

—A mí y a Miguel.

—¿Quién es él? No puedo verlo.

—Este tipo está loco —se ofendió Miguel—. ¿Por qué pretende ignorarme?

—Espera un poco. Oye lo que dice.

—Repite lo que yo vaya cantando —pidió Kipp con apremio y levantó la voz para entonar un canto piel roja.

—¡Ui io hé! ¡Ui io hé! —cantó Kipp.

—¡Vamos, repítelo! —volvió a pedir.

—¡Ui io hé!

—¡Ui io hé! —balbucieron los niños.

—¡Ui io hé!

—¡Ui io hé!

—¡Ui io hé!

—¡A a á!

—¡A a á!

—¡A he iá!

—¡A he iá!

—¡Eo! ¡Eo!

—¡Eo! ¡Eo!

—¡Ui aio uha ha né!

—¡Ui aio uha ha né!

—¡Ui aio uha ha né!

—¡Ui aio uha ha né!

—¡Io io ie hua ha né!

—¡Io io ie hua ha né!

Las frases incomprensibles y rítmicas se iban sucediendo una a otra hasta formar un canto milenario que parecía despertar en los niños un recuerdo olvidado. Poco después había surgido en ellos el deseo de danzar en círculo, como hacían las tribus en Mesoamérica en el principio de los tiempos. Así se abandonaron con placer a la música, hasta que ésta los condujo a parajes internos desconocidos para ellos. La nueva tribu danzaba con los ojos cerrados, y los caminos hacia mundos originarios parecían volver a abrirse, cuando la voz de Kipp anunció, con un sentido "¡uy!", que había alcanzado el estado de éxtasis.

VI

—Ahora frótame de nuevo con estas hierbas —pidió Kipp con apremio.

De inmediato, David se dio a la tarea de frotarle los ojos con un ramo de plantas aromáticas que parecían desbaratarse en sus manos con la fricción, de tan suaves que eran.

Kipp, mientras tanto, recibía aquel zumo verde sobre los ojos y concentraba su atención en despejar de neblina la visión interior, al tiempo que decía con voz grave las palabras rituales:

—¡Oh, hierbas generosas, hagan claros mis ojos para que pueda ver a los espíritus en mis cielos interiores!

Kipp pareció apaciguarse.

—¡Bien, bien! Esta vez podré verlos, estoy seguro —dijo al fin.

En ese instante volvió a escucharse un maullido muy quedo.

—¡Ya vi uno! —exclamó David.

—¿Dónde?

—¿Dónde está? —repitió Miguel.

—¡Tú ve por allá! ¡Atrápalo! —pidió a Kipp.

La voz cavernosa del espíritu de Vicenta dejó escapar un largo maullido.

—Respóndele —urgió Kipp—, tenemos que hablar en su idioma para que gane confianza.

—¡Está bien, está bien! —consintió David.

Cuatro voces se unieron entonces en un disperso maullido. Eran un coro destemplado que buscaba, en cada nuevo intento, tomar aire en la misma medida que los otros, para no interrumpir el maullido antes que nadie.

El maullido de Vicenta se distinguía de entre todos. Parecía alargarse al infinito, hasta llegar a transformarse, en cada nuevo intento, en una voz cada vez más cercana a lo humano.

Poco tiempo había pasado cuando pudo ser comprendida claramente por los niños, quienes la oyeron decir:

—Cada vez que un ser humano intenta hacer amistad con un animal, se revive la armonía del tiempo en que podíamos vivir en paz seres humanos, animales y plantas. ¿Qué quieren de mí? Ya he olfateado su exquisita ofrenda, le he quitado la sustancia y ha quedado sin olor; ahora debo irme. Si quieres hacerme una petición para alguien, yo la llevaré cuando vuelva al inframundo.

—Por favor, Vicenta, llévanos contigo al mundo de los muertos —pidió Kipp—, ya sé que habitan entre nosotros, pero no encuentro la puerta para entrar en su dimensión. Voy a ser médico de mi tribu y necesito conocer sus secretos para curar.

—¡Ah, no! —se inquietó Miguel—. ¡Mira, Kipp, estás yendo muy lejos! Si continúas hablando de esa manera, yo me despido ahora mismo.

—¡Sht! —pidió David tan tranquilo—. ¡Deja oír lo que dicen! ¿Para qué te enfadas? De todas formas, Kipp no te ve ni te escucha, Miguel.

—No tengo que llevarlos al mundo de los muertos —aseguró Vicenta—. ¡Ya están en el mundo de los muertos!

VII

Un sobresalto sacudió a los niños al escuchar tal sentencia.

Un viento huracanado se desató incontenible y el chirriar de un fuego, de cuyo origen tan sólo podían verse resplandores, empezó a torturar los sentidos de los niños. Ruidos de huesos se acercaban lentamente y quejidos espantosos invadieron el jardín. Mas nada fue tan terrible como la voz de Miguel al gritar:

—¡David! ¿Dónde estás?

—Aquí, junto a ti —respondió él con calma—; observo cómo tiemblas con esa pesadilla.

Miguel se desconcertó.

—¿Qué estoy haciendo aquí, tirado en el suelo?

—Te caíste del árbol, querido amigo, y no podía despertarte con nada. Menos mal que reaccionaste al fin. ¿Te encuentras bien?

—Yo me voy a mi casa. ¿Qué horas son?

—Las tres de la mañana en plena noche de muertos.

—Tengo una sed espantosa; quiero irme de aquí.

Miguel se incorporó pesadamente, dispuesto a marcharse, pero algo lo hizo detenerse de golpe.

—¡Ay! —gritó—. ¡Una serpiente!

—Si te marchas ahora no verás esas escenas —sentenció David—, pero si vuelves a acostarte tal vez las verás de nuevo. En tu cama o en el jardín... ¿podrás quedarte despierto toda la noche?

—¿Y entonces qué puedo hacer? —preguntó Miguel desesperado.

—¡Resiste! Si ves y oyes todo sin temor, las pesadillas se van a aburrir contigo. Ellas se divierten con el miedo de la gente. Pero si las ignoras no volverán a molestarte.

Con tales palabras, Miguel intentó sobreponerse al miedo y recuperó la calma lentamente.

—Está bien —dijo al fin, respirando profundo—, voy a intentarlo de nuevo. Pero por favor no te separes de mí hasta que lleguemos al final del jardín.

—Al final de la noche, querrás decir. No te preocupes. Ya sabes que siempre te acompaño... cuando te duermes —completó la misteriosa voz.

VIII

—¡No tengo miedo! —fingió Miguel—. ¡No tengo miedo!

El crujir de huesos comenzó a oírse de nuevo, esta vez más cercano.

—No tengo miedo, no tengo miedo —se apresuró a repetir Miguel, intentando convencerse a sí mismo.

—¡Ay! —gritó al fin, derrotado nuevamente por el terror, al ver, ya cerca de sí, los montones de huesos que caminaban a su encuentro.

—A esa persona le hace falta la nariz. ¡Y ésa trae la cabeza colgando...!

El último grito de Miguel quedó reverberando, hasta que se perdió a lo lejos como un eco.

Poco después, un atronador sonido pareció partir en dos la dimensión terrestre, para dejar entre ambas partes un abismo de silencio que hacía doler los oídos. El espacio pareció iluminarse súbitamente y poco a poco la agitación de Miguel se atenuó, hasta dejarlo por completo en calma.

—¡David! ¡David! —dijo tirando de su brazo—. En el suelo hay una cortina enorme, no sé de dónde salió.

—Fuiste tú quien la tiró con semejante grito —aseguró David.

—¿De qué me hablas?

—Esa cortina era la pantalla interior en la que reflejabas tus miedos. Allí los proyectaba tu imaginación.

—¿Qué estás diciendo? No te puedo creer.

—Pues entonces dime tú: ¿de dónde salió esa cortina?

—Así que de veras es mi miedo quien fabrica las pesadillas —consintió Miguel un poco apenado.

—¡Exacto! Por eso no debes temer. Son tan sólo una fantasía.

En ese momento apareció Kipp lleno de agitación.

IX

—¡Ah! ¡Ahí estás! ¿Qué tal te fue? ¿Pasaste la prueba? —preguntó David.

—Mira, ya tengo en mi cinturón la piel que me regaló la serpiente. Ahora podemos seguir adelante. He derrotado a mi enemigo: el miedo.

Después de mirar el rostro preocupado de David, Kipp agregó:

—¡Qué cara tienes! ¿Te sucede algo malo?

—¿Cómo vamos a salir de aquí? Estamos bajo tierra. No sé cómo entramos... ni cómo saldremos.

Kipp guardó silencio y quedó reflexivo.

—¿Cómo salir de aquí? Ya hiciste una buena pregunta, ahora ayúdame a encontrar la respuesta.

Como salido de la nada, el galope de un caballo resonó entonces en la caverna.

—¡El caballo gris! —se entusiasmó Kipp—. ¡Lo sabía! ¿Cómo pude olvidarlo? ¡Rápido! Debes estar listo para saltar, porque no se detendrá.

Las paredes de tierra parecían estar cerradas herméticamente en torno a los niños, pero el sonido del galope se acercaba libremente, como si el corcel conociera una ruta secreta.

Pronto el caballo apareció ante ellos, como llegado de muy lejos. Los muchachos se alertaron y, cuando estuvo a su alcance, de un salto preciso quedaron montados los tres. Así partieron al galope hasta alcanzar la misteriosa salida de la caverna, por un camino que tan sólo el corcel conocía y que parecía, en cambio, nebuloso a los ojos de los niños.

X

Ya fuera de la tierra, el sol irradiaba sus cálidos y luminosos rayos, igual que siempre. El campo extendía su verdor cubriendo por completo el hermoso paisaje, en el centro del cual se dibujó de pronto, entre prodigiosos reflejos, la sutil figura de una preciosa escalera de caracol.

—¡Mira, Kipp —señaló David la etérea aparición—, qué hermosura!

Ante los ojos extasiados de los niños, la delicada escalera fue definiendo sus colores y formas, hasta ganar en solidez y quedar como una maravillosa construcción que en medio del campo abría un camino hacia las nubes.

—Es hermosa —se emocionó Kipp—; tal como la describiera mi maestro. Ahora estoy seguro de que vamos por el camino correcto.

Miguel se sujetó con fuerza a la cintura de David. El caballo relinchó con brío y, acto seguido, como si reconociera el camino, dio un gran salto para trepar al primer escalón.

—El primero es de plomo de... Saturno —titubeó Kipp—, el segundo es de... estaño de Venus, el tercero de bronce de Júpiter, el cuarto de hierro de Mercurio, el quinto de metales de Marte, el sexto... de plata de la Luna y el séptimo, ¡de oro del Sol! ¡Lo recordé! ¡Lo recordé todo! —celebró Kipp y sonrió dulcemente apaciguado, pues había pasado una prueba más de aquel maestro que le enseñaba las tradiciones más antiguas del mundo entero.

Los cascos del caballo gris mantenían el equilibrio sobre la pulimentada superficie de las gradas sin llegar a resbalar. Su sonido claro y brillante se dejaba escuchar mientras iban ascendiendo, hasta que muy pronto tuvieron las nubes al alcance de la mano.

Cuando hubieron llegado al final de la escalera, el corcel se preparó para lograr un gran salto.

Los niños encogieron sus cuerpos para apretarse contra el lomo del caballo y sintieron un hueco en el estómago cuando el caballo se lanzó al vacío.

La caída libre les daba vértigo y las piernas se apretaban con fuerza para impedir desprenderse del lomo que los sostenía. La crin del caballo onduló en el aire y al fin calló pesadamente sobre el poderoso cuello del corcel, cuando éste pudo al fin dar alcance al arco iris que frente a ellos elevaba su curva.

—¡Aquí vamos! —gritó Kipp lleno de júbilo.

—Se parece al arco que puso mamá en la ofrenda de muertos —aseguró David, al pasar sobre el luminoso arco.

—¡Entramos al arco iris! —se emocionó Miguel.

—Éste es el puente que une al cielo con la tierra —dijo Kipp—, por aquí subimos a veces, cuando estamos dormidos.

—¡Miren —señaló David—, allí hay una pequeña puerta que se abre y se cierra rápidamente!

—¿Dónde está? —preguntó Kipp de inmediato.

—¡Detrás de esa nube! Se mueve tan rápido que parece parpadear.

—Ésa es la puerta por donde entran los médicos para curar —reveló Kipp alerta—; es la prueba final.

El muchacho miró fijamente la puerta y pareció ponerse después en tensión extrema antes de advertir:

—¡Pon mucha atención! Tenemos que pasar esa puerta encogidos, como si fuéramos bebés que van a nacer. Tiene que ser de inmediato, o la puerta se cerrará. Ten cuidado. ¡Si llegara a tocarnos, moriríamos irremediablemente!

XI

El paisaje a lo lejos era maravilloso: tres atardeceres sobrepuestos en la cima de los cuales la pequeña puerta se abría y cerraba vertiginosamente. La profunda voz de unos caracoles, cortados como instrumentos de viento, llegó desde lejos, como si abriera camino y anunciara su llegada.

El corcel sacudió su larga crin, se detuvo un momento ante la puerta y resopló inquieto, en espera de la orden de Kipp para saltar en el momento preciso.

Apenas hubo replegado el cuerpo y quedado al acecho, Kipp dio la orden al corcel y se lanzaron al vacío mientras un resplandor los cegaba por completo en el momento en que pasaban por la diminuta puerta.

—¡Qué luz más extraordinaria! —exclamó Miguel.

—¡Mira ese equipal —señaló David, ya acostumbrado al destello—, brilla como un diamante!

Habían cruzado la última puerta dimensional para llegar al Tonatiuhchán y sus corazones latían con fuerza.

—¡Cuánta luz! —terció Kipp asombrado, mientras caían los tres del caballo, que pareció esfumarse mágicamente, para dejarlos rodando sobre un piso de nubes.

—Cuánto brillan las paredes de esta casa. De seguro hemos llegado a la bóveda celeste.

La gravedad de unos pasos que se acercaban se dejó oír en ese instante.

—No lo puedo creer. Tal vez hayamos llegado de veras a la casa de Tonatiuh.

—¿Tonatiuh? —preguntó Kipp emocionado.

—¡Tonatiuh! ¡El mismísimo sol!

—Se parece a Baiame, el maestro más grande de los curanderos en Australia.

—¿Es Dios? —se inquietó Miguel—. ¿Tocamos la puerta al pasar y estamos muertos?

—¡Humm —consideró David al verlo acercarse—, parece una persona, pero sus ojos brillan mucho más! ¡Es Tonatiuh! —se emocionó David.

—Vamos a acercarnos.

Dicho esto se dispusieron los tres a acortar la distancia que los separaba del majestuoso personaje. Cuando hubieron estado frente a él, Kipp dio un paso adelante y orgullosamente se presentó ante él.

—¡Buenos días! —dijo—. Me llamo Kipp y vengo de la tribu Wiradjuri de Australia. Traigo en mi cinturón la piel de la serpiente, como muestra de que he pasado la prueba al viajar al inframundo, para poder ser el curandero de mi tribu. Necesito el conocimiento que sólo tú puedes darme, por eso vine hasta aquí.

—Sí —confirmó Miguel, imitando su gesto—, estuvimos en el mundo de los muertos y ya no nos dan miedo.

—Acompañamos a Kipp hasta aquí, subiendo por el arco de la ofrenda del Día de Muertos —completó David.

Tonatiuh los contempló en silencio y una sutil sonrisa se dibujó en su rostro.

—Lo sé, lo sé —dijo al fin—; los he estado observando y pude ver cómo vencían el miedo. Fui yo quien mandó el caballo gris para que pudiera conducirlos. Lo envío a cada ser humano que desee conocerme.

Dicho esto, el imponente Tonatiuh procedió a sentarse en su hermoso equipal.

—Aquí está la piel —mostró de nuevo Kipp.

—Lo hiciste muy bien —exclamó Tonatiuh satisfecho—. Y tú también, David. Y tú, Miguel. Se han comportado los tres como verdaderos valientes.

—¿Miguel? —se inquietó Kipp—. ¿Quién es Miguel?

—¡Ay, no, Kipp! —pidió David, impaciente—. ¡No me digas de nuevo que no puedes ver a mi amigo!

—Beban de mi luz —dijo Tonatiuh con voz atronadora.

Se escuchó entonces el sonido de cristales que chocaban suavemente.

—¡Es sólo agua, pero cómo brilla! ¡Parece de oro! —exclamó David.

Kipp bebió con avidez el agua límpida.

Tonatiuh puso también en manos de David una cristalina vasija llena de agua y lo invitó a beberla.

—¿Para mí también? ¡Gracias!

Al beber el agua, David sintió revivir. Era tan fresca y pura como no existía más sobre la Tierra.

—Toma, Kipp —ofreció Tonatiuh—, he desprendido estos cristales de las paredes de mi casa. Te servirán para curar. Eres muy valiente, estoy seguro que vas a ser un buen curandero de tu tribu.

—Y esto es para ti —dijo Tonatiuh, mientras dejaba en las manos de Miguel otra vasija con agua resplandeciente.

—¡Gracias —exclamó él—, pensé que a mí no me daría!

Y dio un largo sorbo hasta acabarse el agua por completo.

—¡Hummm! ¡Qué bien! Me siento distinto, como si fuera más fuerte.

Luego Tonatiuh dejó caer en las manos de Miguel un puñado de cristales luminosos que llenaron de reflejos su asombrado rostro.

Otro tanto hizo con David y provocó también su regocijo.

—Con ellos —dijo Tonatiuh— serán capaces de volar hasta aquí cada vez que lo deseen. Entenderán el lenguaje de los animales y podrán curar el alma de los enfermos.

—¡Ay —exclamó Miguel—, qué fríos están estos cristales!

—¡Como que son granizo! Levántate si no quieres mojarte más —le urgió David.

XII

—¡Vamos! ¡Arriba! Por fin logré reanimarte. Parecía que se te hubiera salido el espíritu al caerte del árbol.

Miguel se incorporó lentamente, todavía desconcertado, al descubrirse de nuevo tumbado en el jardín.

—¿Y Tonatiuh?

—Muy pronto amanecerá y podremos verlo.

—Ahora comprendo por qué Kipp no podía verme —reflexionó Miguel—: él no podía ver a los espíritus. ¿Tú también viste a Kipp, David?

—Por supuesto.

—Creí que lo había soñado.

—¿Soñado? —preguntó Kipp vivaz, apareciendo detrás de un arbusto—. Me da lo mismo si me sueñan o creen verme en la realidad. De todas formas vendré a saludarlos el próximo Día de Muertos.

—¿Ya puedes verme? —preguntó emocionado al ver el cuerpo del muchacho transformado en un apuesto joven de cuya cintura pendía aún la piel de la serpiente.

—Ahora puedo ver muchas cosas, además de verte a ti. Puedo entender los signos de las nubes y el humo, puedo escuchar el rumor del viento y comprender lo que dice. Ahora debo partir en la columna de copal; mi maestro me llama. Hoy mismo empezaré mi labor como curandero de mi tribu.

—¿Kipp, entonces si te sueño podré traerte de nuevo aquí?

—Si no llegara, podrías entrar tú en mi mundo para ir a buscarme, pues de no acudir será porque de seguro estaré ocupado curando a alguien.

—¿Quieres decir, ir a Australia?

—¿Por qué no? Tal vez los llame de nuevo para ayudarme a curar a la gente de la tribu Wiradjuri.

—¡Sí! —exclamaron contentos—. Iremos.

—¡Hasta pronto! —exclamó Kipp al tiempo que trepaba en la columna de humo—. Vendré de nuevo el próximo noviembre para dejar su ofrenda a Vicenta.

—¡De veras! ¿Y la ofrenda? —recordó Miguel mientras se dirigía al sitio en que la habían dejado.

—¡Ya no huele el pescado, David! —exclamó tirado de bruces sobre la charola—. ¡Ahí está la ofrenda pero ya no tiene aroma! ¡Quiere decir que sí vino el espíritu de Vicenta! —se alegró.

—Tenía que venir —aseguró David muy tranquilo.

—Es Día de Muertos y le pusimos su linda ofrenda. Pero anda, vámonos, que está amaneciendo. Seguramente terminaron de contar las historias de Día de Muertos y no alcanzaremos a escuchar ninguna.

—Voy a ver si encuentro a Kipp en mis sueños.

—¡Apresúrate! Esta neblina del amanecer produce sombras que parecen espíritus.

—No tengas miedo, David, ahora sé que sólo tu imaginación puede espantarte. Si no la dejas correr a galope, no se desbocará.

XIII

Doña Chepa se asomó al jardín y gritó de nuevo el nombre de David.

Una extraña luz parecía bajar desde lo alto del colorín a cuyas plantas creía ver las siluetas de David y su nuevo amigo.

—¡David! —volvió a gritar doña Chepa—. ¡Apúrate, que se acaban los tamales de dulce!

—¡Ya voy! —respondió al fin el niño.

Al fondo del jardín, la casa despedía un aroma a copal y las veladoras hacían temblar sus llamas moribundas produciendo reflejos que parecían danzar entrecortados.

Todos los invitados habían bailado ya a lo largo de la noche: una pieza con los anfitriones y otra más a solas, como si bailaran con una de las ánimas invisibles que los habían visitado.

El tapiz hecho de flores ofrecía a la vista el más hermoso cuadro al pie del altar en donde las fotos de los antepasados muertos recibían la ofrenda.

El abuelo fumaba apaciblemente su tabaco y bebía pequeños tragos de mezcal, en espera de que doña Chepa, charola en mano, terminara de recorrer el gran círculo que habían formado en torno al altar los invitados.

Cada uno de ellos tomaba las coloridas viandas que ofrecía doña Chepa, porque se había preparado una cena para los muertos y otra más para los vivos.

Las calaveras, con sus sombreros de fiesta, sonreían desde sus marcos de papel picado, y el mole de guajolote era puesto sobre un bracero, para recalentarlo.

David y Miguel se detuvieron en el quicio de la puerta para contemplar la escena, antes de entrar.

El ánimo de los parientes allí reunidos parecía más que apacible, purificado ya por el desvelo. Hablaban todos en voz muy baja, como si se contaran confidencias. Durante la noche, cada uno había pedido a su pariente muerto, aquel con quien mejor se habían llevado en vida, que rogara en su nombre a los guardianes de la humanidad, para que le concedieran los bienes necesitados.

El abuelo quería una buena cosecha, y la abuela llegar sana a diciembre, para gozar con la siguiente fiesta. Doña Chepa un telar para tejer en su nuevo huipil los dibujos que señalarían, con colores, el calendario de las próximas siembras.

El papá de David pidió tener en él un hijo bueno, que le ayudara en la siembra y aprendiera muy pronto los secretos curativos de las plantas.

David sintió sobre los hombros la cálida mano de doña Chepa.

—¿No te vas a comer tu calaverita de azúcar?

David sonrió y fue a buscar en el altar la calavera de azúcar que llevaba su nombre en la frente. Este año las habían comprado muy grandes. La suya tenía ojos verdes

de papel metálico y rizos color de rosa dibujados con du-
ya de pastelero.

Junto a ella estaba la calavera de azúcar de Miguel.
Al ver su nombre en letras mayúsculas sonrió agradecido
de que no se les hubiera olvidado comprarle una y, ya sin
miedo a la muerte, la recibió muy complacido de manos
de David.

Luego fueron los dos junto a la ventana, a comér-
selas a pequeñas mordidas, mientras Miguel se sobaba de
vez en cuando el chipote que le había quedado por la caída desde el colorín.

Los adultos empezaron a leer las calaveras que se
habían escrito unos a otros y que no eran sino versos que
relataban, en broma, la forma en que supuestamente
había muerto cada uno aquel año.

Muy pronto las risas embargaban el ambiente y los
comensales se deleitaban mientras seguían entusiastas el
hilo de las bromas.

Al evocar a los antepasados, los lazos familiares se
habían reafirmado una vez más y el pueblo se sentía unido
después de haberse visitado parientes y vecinos.

La convivencia pacífica entre ellos seguiría siendo
posible. El pueblo entero había vuelto a sentirse acom-
pañado y dichoso.

Maravillados por la escena que tenía lugar allá
afuera, Miguel y David se miraron cómplices y, sonrien-
tes, despidieron con la vista la parvada de colibríes y mariposas que abandonaban el jardín. Eran las ánimas de los
antepasados que dejaban la Tierra para volver a su mundo, porque ya amanecía.

Las voces de los niños se fueron perdiendo poco a
poco a medida que la luz de la lámpara, ya sin pilas, aban-
donaba el jardín. Los nuevos médicos hablarían, desde

entonces, el lenguaje de los animales, viajarían hasta los cielos cada vez que quisieran y podrían curar a los enfermos con sólo sonreírles.

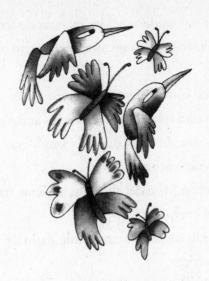

GLOSARIO

Apremio: Acción y efecto de darse prisa.

Ascender: Subir.

Atisbar: Mirar con cuidado, acechar.

Bóveda celeste: Firmamento, cielo.

Calabaza en tacha: Fruto grande y de forma diversa,
   cocido en miel de piloncillo.

Cavernoso: Que pertenece a las cavernas.

Chirriar: Producir cierto sonido discordante.

Copal: Resina que se extrae de algunos árboles de las
   regiones tropicales. Se usa para barnices y como
   incienso.

Crin: Cerdas de algunos animales.

Discordar: Estar en desacuerdo; no estar de acuerdo.

Equipal: Silla de bejuco con asiento de cuero o de palma tejida.

Estaño: Metal blanco, ligero y muy maleable.

Éter: Fluido sutil que llenaba, según los antiguos, los espacios situados más allá de la atmósfera.

Etéreo: Perteneciente al éter.

Éxtasis: Arrobamiento del alma que se siente transportada fuera del cuerpo.

Huipil: Vestido largo sin mangas originario de Mesoamérica.

Interceder: Suplicar para obtener el perdón.

Intercesor: Que intercede.

Magnético (a): Que posee las propiedades del imán.

Mediador (a): Que media, que está en medio.

Pretina: Cinturón que llevan algunas prendas de vestir.

Pulimentada (o): Alisada, lustrosa.

Retrucar: Replicar con acento y energía.

Rugosa: Que está arrugada.

Seto: Cerca que se hace con arbustos vivos.

Súbito: Repentino, que sucede de pronto.

Tenue: Delicado, delgado.

Tepache: Bebida que se prepara con agua y piña.

Yacer: Estar tirado o tendido.

Este libro se terminó de imprimir en junio de 2006,
en Mhegacrox, Sur 113-9, núm. 2149, col. Juventino
Rosas, 08700, México, D.F.